Un petit mot pour les parents...

C'est déjà la saison des vacances et comme toujours elles vont passer vite comme l'éclair !

C'est pourquoi nous avons conçu une troisième édition du *Journal de mes vacances* pour accompagner votre enfant dans ses nouvelles aventures et découvertes de voyage. C'est un outil qui se veut à la fois divertissant et stimulant, avec ses pages d'activités, où se côtoient jeux et devinettes, celles pour répertorier et classer les trouvailles, et bien sûr la section journal, où l'enfant pourra inscrire tous les détails de ses journées, et ainsi profiter longtemps de ses merveilleux souvenirs de vacances.

Les enfants ont toujours hâte aux vacances, car elles sont l'occasion de passer du temps heureux en famille, de faire des découvertes et d'apprendre de nouvelles choses. Nous vous invitons à parcourir les pages de ce nouveau journal ensemble, à vous familiariser avec les différents chapitres et à encourager votre enfant à collectionner et écrire ses souvenirs quotidiennement. Vous pourriez même en faire un moment calme et privilégié de la journée, voire un petit rituel de vacances qui deviendra ensuite le répertoire de souvenirs impérissables.

Ce livre est conçu pour les enfants de tous les âges, en tenant compte bien sûr que les plus petits auront besoin de plus d'accompagnement.

Bonnes vacances !

Les concepteurs

Natalie Richard et **Pascal Biet**
Auteure et maman   Illustrateur
                       et grand enfant

Sommaire

Salut, je suis

Ce journal appartient à...

(moi!)

Colle une photo ou fais un dessin de toi dans le cadre.

Prénom : _____

Nom : _____

Surnom : _____ Âge : _____

Adresse : _____

_____

Téléphone : _____

Courriel : _____

Date du début de tes vacances : _____

Avec qui pars-tu en vacances ? _____

_____

Où vas-tu en vacances ? _____

Dans quel pays est-ce situé ? _____

Quelle est la capitale de ce pays ? _____

Que souhaites-tu faire pendant tes vacances ?

J'ai envie de : _____

J'ai hâte de : _____

J'ai très envie de : _____

J'ai toujours rêvé de : _____

_____

Je veux absolument : _____

Aide-mémoire

Liste de bagages

- [ ] 1 pyjama par semaine (1 x_____ semaine(s) =_____)

- [ ] Une paire de sous-vêtements par jour (1 x_____ jours =_____)

- [ ] Une paire de chaussettes par jour (1 x_____ jours =_____)

- [ ] Des vêtements chauds pour le soir

- [ ] Une paire de chaussures de rechange

- [ ] Un maillot de bain

- [ ] Une serviette de bain

- [ ] Une casquette ou un chapeau

- [ ] Une brosse à dents

- [ ] Une brosse à cheveux ou un peigne

As-tu pensé à prendre :

- [ ] de la crème solaire ?
- [ ] des lunettes de soleil ?
- [ ] un appareil photo ?
- [ ] des livres ?
- [ ] des jeux de voyage ?
- [ ] des crayons de couleur, de la colle et des ciseaux pour remplir ton journal ?

Demande à maman ou papa combien :

(Inscris le nombre d'articles sur la ligne et coche la case quand ils seront rangés dans ton bagage)

... de t-shirts ? _____ [ ]

... de chandails chauds ? _____ [ ]

... de pantalons courts ? _____ [ ]

... de pantalons longs ? _____ [ ]

... de robes ? _____ [ ]

... de chemisiers ? _____ [ ]

... autres : _____ [ ]

_____ [ ]

_____ [ ]

Les **4** clés du succès de mes vacances :

1 Plaisir
2 Curiosité
3 Autonomie
4 Patience !

Ma destination vacances

Un peu de géographie

Machu Picchu ①

Mont Kilimandjaro ③

Tour Eiffel ②

Statue de la Liberté ④

Ⓐ Ⓑ Ⓒ Ⓓ

N
O   E
S

Océan Pacifique

Océan

Colorie

a. Le pays où tu habites en vert. ■

b. Le pays où tu vas en vacances en jaune. ■

c. Le(s) pays que tu aimerais visiter en rouge. ■

d. Le(s) pays où tu connais quelqu'un en bleu. ■

e. Les pays francophones en brun. ■

f. Les pays scandinaves en violet. ■

g. Le Japon en orange. ■

h. La Nouvelle-Zélande en rose. ■

i. L'Islande en bleu foncé. ■

j. Le Brésil en vert pâle. ■

Regarde bien chacune des photos sur les timbres. Pourras-tu les relier aux points correspondants sur la carte ?

5

Sais-tu que...

Un pays francophone est un pays où l'on parle le français.

Place Rouge

⑩

F

E

⑨

Sphinx et pyramide de Khéops

G

Océan Pacifique

i

H

Océan Indien

⑦

Amazonie

J

Atlantique

Monument Valley

⑤

⑥

Kangourou

⑧

Grande Muraille

Le monde comporte plusieurs continents : l'Amérique, l'Europe, l'Afrique, l'Asie et l'Océanie.

Identifie-les en les entourant.

Voici les points auxquels les photos sont reliées :
1-C ; 2-E ; 3-H ; 4-B ; 5-A ; 6-J ; 7-D ; 8-I ; 9-G ; 10-F.

Questions d'orientation

Mes vacances se passent :

- à la campagne. ☐
- à la mer. ☐
- à la montagne. ☐
- en camping. ☐
- dans une grande ville. ☐
- chez une personne de ma famille. ☐
- chez des amis. ☐
- dans une résidence secondaire. ☐
- en colonie de vacances. ☐
- sur un bateau. ☐
- dans un autre pays. ☐
- autres :
- _____ ☐
- _____ ☐

Dans quel pays es-tu ? État ? région ? province ? département ?

_____

_____

Es-tu au nord, au sud, à l'ouest ou à l'est de ton lieu de résidence habituel ? (voir carte p. 4-5)

_____

_____

Quelles sont les villes les plus proches du lieu de tes vacances ?

_____

_____

Y a-t-il un plan d'eau à proximité ? Un lac, une rivière, un fleuve ou la mer ?

_____

_____

Y a-t-il des champs, une forêt ou un jardin ?

_____

_____

Y a-t-il d'autres intérêts géographiques comme une île, un désert, une gorge, une plaine, une montagne ou un volcan ?

_____

_____

_____

Décris ici ta destination vacances. Tu peux aussi la dessiner ou coller des photos.

Si tu découpes des photos, fais attention avec les ciseaux!

Mes adresses en vacances

Note l'adresse ou les adresses où tu résides pendant tes vacances, que ce soit une maison, un camping ou un hôtel...

Adresse 1 : _____

_____

_____ Code postal _____

Adresse 2 : _____

_____

_____ Code postal _____

Adresse 3 : _____

_____

_____ Code postal _____

Colle ou agrafe ici une carte de visite
d'hôtel, de gîte ou de camping.

Itinéraire de vacances

1

Je pars le _____
              jour

de _____ à _____
   ville   *heure*

J'arrive le _____
              jour

à _____ à _____
  ville   *heure*

Je voyage en
(encercle)

Pendant _____ heures.

Durée de l'étape : _____ jours.

2

Je pars le _____
              jour

de _____ à _____
   ville   *heure*

J'arrive le _____
              jour

à _____ à _____
  ville   *heure*

Je voyage en
(encercle)

Pendant _____ heures.

Durée de l'étape : _____ jours.

par là

L'itinéraire de tes vacances est le chemin que tu empruntes du jour de ton départ au jour de ton retour.
Remplis les espaces prévus avec les informations sur chacune des étapes numérotées.

3

Je pars le _____
jour

de _____ à _____
ville   *heure*

J'arrive le _____
jour

à _____ à _____
ville   *heure*

Je voyage en
(encercle)

Pendant _____ heures.

Durée de l'étape : _____ jours.

5

Je pars le _____
jour

de _____ à _____
ville   *heure*

J'arrive le _____
jour

à _____ à _____
ville   *heure*

Je voyage en
(encercle)

Pendant _____ heures.

Durée de l'étape : _____ jours.

4

Je pars le _____
jour

de _____ à _____
ville   *heure*

J'arrive le _____
jour

à _____ à _____
ville   *heure*

Je voyage en
(encercle)

Pendant _____ heures.

Durée de l'étape : _____ jours.

6

Je pars le _____
jour

de _____ à _____
ville   *heure*

J'arrive le _____
jour

à _____ à _____
ville   *heure*

Je voyage en
(encercle)

Pendant _____ heures.

Durée de l'étape : _____ jours.

Comment remplir mon journal ?

Mon journal

Les pages qui suivent sont les pages de ton journal où tu peux écrire tout ce dont tu as envie, sans oublier bien sûr, tes souvenirs de vacances.

Tu peux y raconter chacune de tes journées en détail, y coller les cartes de visite, dessins, photos, tickets de spectacles, billets de transport... Tout ce que tu trouveras et qui aura un lien avec chacune de tes journées.

Regarde bien les explications suivantes pour comprendre comment remplir les pages de ton journal.

JOURNALISTE DE VaCances

Quand est-ce arrivé ? _____

Où est-ce arrivé ? _____

Que s'est-il passé ? _____

Qui était là ? _____

Comment est-ce arrivé ? _____

Pourquoi est-ce arrivé ? _____

Ton commentaire de journaliste : _____

Journaliste de vacances

Quand apparaît cette petite capsule, prends ton crayon, c'est toi le ou la journaliste !
Si tu es témoin d'un événement surprenant ou amusant, note-le rapidement en répondant aux questions déjà inscrites :

1. Quand est-ce arrivé ?
2. Où est-ce arrivé ?
3. Que s'est-il passé ?
4. Qui était là ?
5. Comment est-ce arrivé ?
6. Pourquoi est-ce arrivé ?

Note bien l'heure et la date exactes.
Ton journal de vacances te permettra de toujours rester à l'affût !

1 N'oublie pas d'inscrire la date !

2 Dessine sur les horloges des aiguilles indiquant l'heure de ton lever et l'heure de ton coucher.

3 Coche selon le temps qu'il fait pendant la journée (tu peux cocher plusieurs cases) :

- ☀ soleil
- 🌧 pluie
- 💨 vent
- 〰 brouillard
- ☁ nuages
- 🌈 arc-en-ciel
- ⛈ orage
- ⛄ neige

Indique aussi la température minimale (la plus froide) et la température maximale (la plus chaude) de la journée.

4 Coche les moyens de transport utilisés pendant la journée :

- 🚗 voiture
- 🚌 autobus
- 🚲 vélo
- 🚂 train
- ✈ avion
- ⛴ bateau

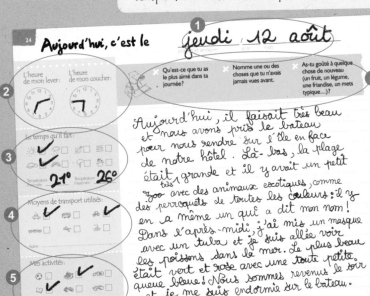

Les lignes t'aideront à écrire droit...

... et les carreaux seront utiles pour tes dessins !

5 Coche les activités que tu fais dans la journée :

- ⚽ sport
- 👟 balade, promenade
- 📷 visite touristique
- 📖 lecture
- 🧱 jeux d'intérieur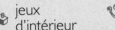
- 🖱 jeux vidéo, Internet

6 Sers-toi des suggestions si tu ne sais pas trop quoi raconter... Elles te donneront des idées pour le récit de ta journée.

7 De petites questions de culture générale et des blagues rendront tes vacances encore plus intéressantes !

Aujourd'hui, c'est le

_____ / _____ / _____
jour de la semaine   jour   mois

L'heure de mon lever:

L'heure de mon coucher:

Le temps qu'il fait:

☀ ☐ 🌧 ☐ ❄ ☐ 〰 ☐

☁ ☐ 🌈 ☐ ⛈ ☐ ⛄ ☐

Température minimale : _____

Température maximale : _____

Moyens de transport utilisés:

 ☐   ☐   ☐

 ☐   ☐   ☐

Autre : _____

Mes activités:

⚽ ☐   🛶 ☐   🎧 ☐

📖 ☐   🎮 ☐   🎮 ☐

Autre : _____

✖ **Raconte comment s'est passé ton départ.**

✖ **Décris les choses nouvelles que tu as vues ou les nouvelles expériences que tu as vécues pendant le voyage.**

✖ **Énumère ce que tu as découvert au cours de ta première journée.**

Rire !

Un chiot demande à son père : « Dis-moi papa, lequel est mon vrai nom, assis ou couché ? »

Question

Si la Terre est ronde et qu'elle tourne constamment, comment se fait-il que nous ne tombons pas et que les océans ne se déversent pas dans l'espace ?

(réponse à la page 64)

Aujourd'hui, c'est le

_____ / _____ / _____

jour de la semaine   *jour*   *mois*

L'heure de mon lever :

L'heure de mon coucher :

Le temps qu'il fait :

Température minimale : _____

Température maximale : _____

Moyens de transport utilisés :

Autre : _____

Mes activités :

Autre : _____

✗ Est-ce que tu étais déjà allé en vacances à cet endroit ?

✗ Quelles activités as-tu faites aujourd'hui ?

✗ Qu'est-ce que tu aimes le plus de ta destination vacances ?

Question

Quel est le plus gros des mammifères ? Et le plus petit ?

(réponses à la page 64)

JOURNALISTE DE VACANCES

Quand est-ce arrivé? _____

_____

Où est-ce arrivé? _____

_____

Que s'est-il passé? _____

_____

_____

_____

_____

_____

Qui était là? _____

_____

Comment est-ce arrivé? _____

_____

_____

Pourquoi est-ce arrivé? _____

_____

_____

Ton commentaire de journaliste: _____

_____

_____

_____

Aujourd'hui, c'est le

_____ / ____ / _____
jour de la semaine   *jour*   *mois*

L'heure de mon lever :

L'heure de mon coucher :

Le temps qu'il fait :

☀ ☐   🌧 ☐   💨 ☐   〰 ☐

☁ ☐   🌈 ☐   ⛈ ☐   ⛄ ☐

Température minimale : _____

Température maximale : _____

Moyens de transport utilisés :

🚙 ☐   🚐 ☐   🚲 ☐

🚃 ☐   ✈ ☐   ⛴ ☐

Autre : _____

Mes activités :

⚽ ☐   🛶 ☐   🎧 ☐

📖 ☐   🧱 ☐   〰 ☐

Autre : _____

✖ **Décris les gens que tu as rencontrés aujourd'hui (nouveaux amis, animateurs, gens du pays...).**

✖ **Qu'est-ce que tu as appris de nouveau aujourd'hui ?**

✖ **As-tu vu des animaux ou des insectes ?**

Question

Quelle est
l'agglomération urbaine
la plus peuplée du monde?

(réponse à la page 64)

Aujourd'hui, c'est le

_____ / _____ / _____
jour de la semaine   jour   mois

L'heure de mon lever :

L'heure de mon coucher :

Le temps qu'il fait :

☀ ☐ 🌧 ☐ 🌬 ☐ 〰 ☐

☁ ☐ 🌈 ☐ ⛈ ☐ ⛄ ☐

Température minimale : _____

Température maximale : _____

Moyens de transport utilisés :

🚗 ☐   🚌 ☐   🚲 ☐

🚋 ☐   ✈ ☐   ⛴ ☐

Autre : _____

Mes activités :

⚽ ☐   👟 ☐   🎧 ☐

📖 ☐   🎮 ☐   🖱 ☐

Autre : _____

✖ **As-tu fait une excursion aujourd'hui ?**

✖ **As-tu joué à des jeux ? Lesquels ?**

✖ **Décris ce que tu as le plus aimé dans ta journée.**

Question

Quelles sont les deux sortes de fruits que donnent les palmiers ?

(réponse à la page 64)

JOURNALISTE DE VACANCES

Quand est-ce arrivé? _____
_____

Où est-ce arrivé? _____
_____

Que s'est-il passé? _____
_____
_____
_____
_____

Qui était là? _____
_____

Comment est-ce arrivé? _____
_____
_____

Pourquoi est-ce arrivé? _____
_____
_____

Ton commentaire de journaliste: _____
_____
_____
_____

Aujourd'hui, c'est le

_____ / _____ / _____
jour de la semaine / *jour* / *mois*

L'heure de mon lever :

L'heure de mon coucher :

Le temps qu'il fait :

☐ ☐ ☐ ☐

☐ ☐ ☐ ☐

Température minimale : _____

Température maximale : _____

Moyens de transport utilisés :

☐ ☐ ☐

☐ ☐ ☐

Autre : _____

Mes activités :

☐ ☐ ☐

☐ ☐ ☐

Autre : _____

✖ **Quel a été le plus beau moment de ta journée ?**

✖ **As-tu fait des découvertes aujourd'hui ? Lesquelles ?**

✖ **As-tu regardé un film ou la télévision aujourd'hui ?**

Rire !

Quel est le fruit que les poissons détestent le plus ?

La pêche!

Question

Combien de pattes possède un mille-pattes ?

(réponse à la page 64)

Aujourd'hui, c'est le

_____ / ____ / _____
jour de la semaine   *jour*   *mois*

L'heure de mon lever:

L'heure de mon coucher:

Le temps qu'il fait:

 ☐   ☐   ☐    ☐

 ☐   ☐   ☐   ☐

Température minimale : _____ Température maximale : _____

Moyens de transport utilisés:

 ☐   ☐   ☐

 ☐   ☐   ☐

Autre : _____

Mes activités:

 ☐   ☐   ☐

 ☐   ☐   ☐

Autre : _____

✗ Qu'est-ce qui t'a le plus impressionné aujourd'hui?

✗ As-tu parlé au téléphone ou envoyé un courriel aujourd'hui? À qui?

✗ Quel a été le moment le plus drôle de la journée?

Question

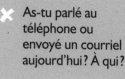

Quelle est la plus grosse planète du système solaire? Sais-tu quel est son diamètre?

(réponses à la page 64)

JOURNALISTE DE VACANCES

Quand est-ce arrivé ? _____

_____

Où est-ce arrivé ? _____

_____

Que s'est-il passé ? _____

_____

_____

_____

_____

_____

Qui était là ? _____

_____

Comment est-ce arrivé ? _____

_____

_____

Pourquoi est-ce arrivé ? _____

_____

_____

Ton commentaire de journaliste : _____

_____

_____

_____

Aujourd'hui, c'est le

L'heure
de mon lever:

L'heure
de mon coucher:

Le temps qu'il fait:

☀ ☐   🌧 ☐   🌬 ☐   〰 ☐

☁ ☐   🌈 ☐   ⛈ ☐   ⛄ ☐

Température
minimale: _____

Température
maximale: _____

Moyens de transport utilisés:

🚗 ☐   🚌 ☐   🚲 ☐

🚂 ☐   ✈ ☐   ⛴ ☐

Autre: _____

Mes activités:

⚽ ☐   🍽 ☐   📷 ☐

📖 ☐   🎮 ☐   🎧 ☐

Autre: _____

✖ **Qu'est-ce que tu as le plus aimé dans ta journée?**

✖ **As-tu rencontré de nouvelles personnes aujourd'hui? Quel est leur nom?**

✖ **As-tu goûté à quelque chose de nouveau (un fruit, un légume, une friandise, un mets typique…)?**

Question

Qu'est-ce qu'une stalactite? Et une stalagmite?

(réponses à la page 64)

Aujourd'hui, c'est le

_____ / ____ / _____

jour de la semaine   *jour*   *mois*

L'heure de mon lever:

L'heure de mon coucher:

Le temps qu'il fait:

Température minimale: _____

Température maximale: _____

Moyens de transport utilisés:

Autre: _____

Mes activités:

Autre: _____

✖ As-tu appris de nouveaux mots? Lesquels?

✖ As-tu acheté quelque chose aujourd'hui?

✖ As-tu envoyé des lettres ou des cartes postales depuis le début de tes vacances? À qui?

Question

Quand, comment et combien de temps dorment les chauves-souris?

(réponses à la page 64)

JOURNALISTE DE VACANCES

Quand est-ce arrivé? _____

_____

Où est-ce arrivé? _____

_____

Que s'est-il passé? _____

_____

_____

_____

_____

_____

Qui était là? _____

_____

Comment est-ce arrivé? _____

_____

_____

Pourquoi est-ce arrivé? _____

_____

_____

Ton commentaire de journaliste: _____

_____

_____

_____

Aujourd'hui, c'est le

jour de la semaine ___/ _jour_ / _mois_

L'heure de mon lever:

L'heure de mon coucher:

Le temps qu'il fait:

Température minimale: _____

Température maximale: _____

Moyens de transport utilisés:

Autre: _____

Mes activités:

Autre: _____

Rire !

Est-ce que tu connais l'histoire de la tortue?

Ne t'en fais pas, elle n'est pas encore arrivée…

Aujourd'hui, c'est le

_____ / ____ / _____
jour de la semaine   jour   mois

L'heure de mon lever:

L'heure de mon coucher:

Le temps qu'il fait:

☀ ☐ 🌧 ☐ 💨 ☐ 〰 ☐

☁ ☐ 🌈 ☐ ⛈ ☐ ⛄ ☐

Température minimale: _____

Température maximale: _____

Moyens de transport utilisés:

🚗 ☐ 🚌 ☐ 🚲 ☐

🚃 ☐ ✈ ☐ ⛵ ☐

Autre: _____

Mes activités:

⚽ ☐   👟 ☐   🎮 ☐

📖 ☐   🎮 ☐   🪀 ☐

Autre: _____

Aujourd'hui, c'est le

_____ / ____ / _____
jour de la semaine *jour* *mois*

L'heure de mon lever :   L'heure de mon coucher :

Le temps qu'il fait :

Température minimale : _____   Température maximale : _____

Moyens de transport utilisés :

Autre : _____

Mes activités :

Autre : _____

Question

Sais-tu ce que fabrique un acériculteur ?

(réponse à la page 64)

Aujourd'hui, c'est le

_____ / ___ / _____
jour de la semaine   *jour*   *mois*

L'heure de mon lever:

L'heure de mon coucher:

Le temps qu'il fait:

Température minimale : _____

Température maximale : _____

Moyens de transport utilisés:

Autre : _____

Mes activités:

Autre : _____

Aujourd'hui, c'est le

_____ / _____ / _____
jour de la semaine   *jour*   *mois*

L'heure
de mon lever :

L'heure
de mon coucher :

Le temps qu'il fait :

Température
minimale : _____

Température
maximale : _____

Moyens de transport utilisés :

Autre : _____

Mes activités :

Autre : _____

Aujourd'hui, c'est le

_____ / _____ / _____
jour de la semaine   *jour*   *mois*

L'heure de mon lever :

L'heure de mon coucher :

Le temps qu'il fait :

Température minimale : _____

Température maximale : _____

Moyens de transport utilisés :

Autre : _____

Mes activités :

Autre : _____

Rire !

Pourquoi les souris n'aiment-elles pas jouer aux devinettes ?

Parce qu'elles n'aiment pas donner leur langue au chat.

Mes découvertes

Les prochaines pages t'aideront à organiser, par catégories, les découvertes de tes vacances. Tu pourras ainsi les répertorier et les classer, pour pouvoir ensuite les faire découvrir à tes amis à ton retour à la maison.

Amuse-toi et bonnes découvertes!

Voici des suggestions de choses que tu aimerais peut-être collectionner et rapporter de tes vacances. Entoure ou souligne celles qui t'intéressent et pars à la recherche de :

- coquillages
- sable de mer
- cailloux
- feuilles d'arbres
- pétales de fleurs
- plumes d'oiseaux

- petits savons d'hôtel
- sous-verres en papier
- napperons de restaurant
- emballages d'aliments
- billets d'entrée (au musée, au spectacle, au cinéma, etc.)

- tickets d'autobus, de train ou de métro
- pièces de monnaie
- cartes routières ou géographiques
- objets souvenirs
- cartes de visite

Avant ton départ :

Pense à ce dont tu as besoin pour transporter tes trésors de voyage : pochette plastifiée, enveloppe ou herbier. N'oublie pas ta colle, tes ciseaux et tes crayons de couleur.

Demande toujours à tes parents avant de cueillir ou de ramasser tes trouvailles pour t'assurer que ce soit permis. Les douanes interdisent généralement de rapporter des végétaux, des insectes ou des animaux d'un pays étranger. Renseigne-toi auprès de tes parents ou d'une personne-ressource.

Musées et monuments

Voici les musées et les monuments (châteaux, gratte-ciel, édifices religieux, statues...) que j'ai vus pendant mes vacances :

Nom : _____

Description : _____

_____

_____

Où cela se trouve-t-il ? _____

_____

Est-ce que j'ai aimé ?   OUI ☐   NON ☐

Pourquoi ? _____

_____

Nom : _____

Description : _____

_____

_____

Où cela se trouve-t-il ? _____

_____

Est-ce que j'ai aimé ?   OUI ☐   NON ☐

Pourquoi ? _____

_____

Nom : _____

Description : _____

_____

_____

Où cela se trouve-t-il ? _____

_____

Est-ce que j'ai aimé ?   OUI ☐   NON ☐

Pourquoi ? _____

Nom : _____

Description : _____

_____

_____

Où cela se trouve-t-il ? _____

_____

Est-ce que j'ai aimé ?   OUI ☐   NON ☐

Pourquoi ? _____

Fêtes, spectacles, carnavals et festivals

Voici les détails des événements auxquels j'ai assisté ou participé :

Titre du spectacle : _____

_____

Description : _____

_____

Est-ce que j'ai aimé?   OUI ☐   NON ☐

Pourquoi ? _____

_____

Titre du spectacle : _____

_____

Description : _____

_____

Est-ce que j'ai aimé?   OUI ☐   NON ☐

Pourquoi ? _____

_____

Films

Les films que j'ai vus pendant mes vacances sont :

Titre du film : _____

Histoire : _____

Est-ce que j'ai aimé?   OUI ☐   NON ☐

Pourquoi ? _____

Titre du film : _____

Histoire : _____

Est-ce que j'ai aimé?   OUI ☐   NON ☐

Pourquoi ? _____

Titre du film : _____

Histoire : _____

Est-ce que j'ai aimé?   OUI ☐   NON ☐

Pourquoi ? _____

Titre du spectacle : _____

_____

Description : _____

_____

Est-ce que j'ai aimé ?   OUI ☐   NON ☐

Pourquoi ? _____

_____

Émissions de télévision

J'ai découvert de nouvelles émissions de télé :

Titre : _____

_____

Sujet : _____

_____

Est-ce que j'ai aimé ?   OUI ☐   NON ☐

Pourquoi ? _____

_____

Titre : _____

_____

Sujet : _____

_____

Est-ce que j'ai aimé ?   OUI ☐   NON ☐

Pourquoi ? _____

_____

Titre : _____

_____

Sujet : _____

_____

Est-ce que j'ai aimé ?   OUI ☐   NON ☐

Pourquoi ? _____

_____

Emplacement pour coller des billets d'entrée de cinéma, de spectacles, ou des photos découpées dans des programmes de spectacles.

Mots et expressions

En vacances, j'ai appris de nouveaux mots et j'ai entendu des expressions très rigolotes comme :

J'ai entendu :   Ça veut dire :

Livres, BD ou magazines

Cette année, en vacances, j'ai lu :

Titre : _____

Auteur : _____

Sujet : _____

J'ai aimé :

un peu ☐   beaucoup ☐   énormément ! ☐

Titre : _____

Auteur : _____

Sujet : _____

J'ai aimé :

un peu ☐   beaucoup ☐   énormément ! ☐

Titre : _____

Auteur : _____

Sujet : _____

J'ai aimé :

un peu ☐   beaucoup ☐   énormément ! ☐

Musique et chansons

J'ai entendu de la musique ou des chansons que j'ai aimées :

Titre : _____

_____

Chanteur / Chanteuse / Groupe : _____

_____

J'aime :   un peu ☐   beaucoup ☐   énormément! ☐

Titre : _____

_____

Chanteur / Chanteuse / Groupe : _____

_____

J'aime :   un peu ☐   beaucoup ☐   énormément! ☐

Titre : _____

_____

Chanteur / Chanteuse / Groupe : _____

_____

J'aime :   un peu ☐   beaucoup ☐   énormément! ☐

Prénoms

Voici les nouveaux prénoms que j'ai entendus :

Sports et activités

Voici les sports que j'ai pratiqués et les activités auxquelles j'ai participé :

Nom du sport : _____
_____

Équipement : _____
_____
_____

Est-ce que j'ai aimé?   OUI ☐   NON ☐

Pourquoi? _____
_____
_____

Nom de l'activité : _____
_____

Description : _____
_____
_____

Est-ce que j'ai aimé?   OUI ☐   NON ☐

Pourquoi? _____
_____
_____

Nom du sport : _____
_____

Équipement : _____
_____
_____

Est-ce que j'ai aimé?   OUI ☐   NON ☐

Pourquoi? _____
_____
_____

Nom de l'activité : _____
_____

Description : _____
_____
_____

Est-ce que j'ai aimé?   OUI ☐   NON ☐

Pourquoi? _____
_____
_____

Jeux de vacances

Voici mes jeux préférés et comment ils se jouent :

Nom du jeu :

Règles et but du jeu :

Nombre de
joueurs :

Nom du jeu :

Règles et but du jeu :

Nombre de
joueurs :

Nom du jeu :

Règles et but du jeu :

Nombre de
joueurs :

Nom du jeu :

Règles et but du jeu :

Nombre de
joueurs :

Aliments

Voici les nouvelles choses que j'ai goûtées en vacances et ma note d'appréciation de 0 à 4 :

0 : Beurk ! Pas mangeable !
1 : Moyen
2 : Bon
3 : Très bon
4 : Mmmm ! J'adore !

Nom du plat ou de l'aliment : _____

_____

Ingrédients ou description : _____

_____

_____

Ça a le goût de : _____

_____ Ma note : ☐

Est-ce que j'aimerais en manger de nouveau ? OUI ☐ NON ☐

Nom du plat ou de l'aliment : _____

_____

Ingrédients ou description : _____

_____

_____

Ça a le goût de : _____

Ma note : ☐

Est-ce que j'aimerais en manger de nouveau ? OUI ☐ NON ☐

Nom du plat ou de l'aliment : _____

_____

Ingrédients ou description : _____

_____

_____

Ça a le goût de : _____

Ma note : ☐

Est-ce que j'aimerais en manger de nouveau ? OUI ☐ NON ☐

Nom du plat ou de l'aliment : _____

_____

Ingrédients ou description : _____

_____

_____

Ça a le goût de : _____

_____   Ma note : ☐

_____

Est-ce que j'aimerais en manger de nouveau ?   OUI ☐   NON ☐

Nom de la recette : _____

Lieu où je l'ai goûtée : _____

Ingrédients : _____

Étapes de préparation : _____

Nom du plat ou de l'aliment : _____

_____

Ingrédients ou description : _____

_____

_____

Ça a le goût de : _____

_____   Ma note : ☐

_____

Est-ce que j'aimerais en manger de nouveau ?   OUI ☐   NON ☐

Plantes, fleurs et arbres

Voici les plantes, les fleurs et les arbres que j'ai découverts :

 N'oublie pas de toujours respecter la nature et de ne jamais cueillir ou déraciner les plantes et les fleurs.

Plante séchée, dessin ou photo

Nom : _____

_____

Couleurs : _____

Caractéristiques : _____

_____

Taille : _____

Est-ce que ça sent bon ? OUI ☐ NON ☐

Plante séchée, dessin ou photo

Nom : _____

_____

Couleurs : _____

Caractéristiques : _____

_____

Taille : _____

Est-ce que ça sent bon ? OUI ☐ NON ☐

Plante séchée, dessin ou photo

Nom : _____

_____

Couleurs : _____

Caractéristiques : _____

_____

Taille : _____

Est-ce que ça sent bon ? OUI ☐ NON ☐

Dessine une plante imaginaire complètement bizarre… et donne-lui un nom !

Plante séchée, dessin ou photo

Nom : _____

_____

Couleurs : _____

Caractéristiques : _____

_____

Taille : _____

Est-ce que ça sent bon ? OUI ☐ NON ☐

Plante séchée, dessin ou photo

Nom : _____

_____

Couleurs : _____

Caractéristiques : _____

_____

Taille : _____

Est-ce que ça sent bon ? OUI ☐ NON ☐

Sers-toi de cette règle pour mesurer tes découvertes.

0 1 2 3 4 5 6 7 8 9 10 11 12 13 14 15 16 17 18 19 20 cm

Animaux

En vacances, j'ai vu des animaux étonnants :

Nom : Lucas

Description : kangourou

Où vit-il? Il vit en au-strlie dans l'océani.

Que mange-t-il? Il se nourit de sorte d'erbe de feuille et des buissons.

Nom : Lucas

Description : Koala

Où vit-il?

Que mange-t-il?

Nom : Lucas

Description : émeu

Où vit-il?

Que mange-t-il?

Dessine un animal imaginaire complètement bizarre… et donne-lui un nom!

Nom: Lucas

Description: Wombat

Où vit-il?

Que mange-t-il?

Nom: Lucas

Description: cacatoès

Où vit-il?

Que mange-t-il?

une brou-
giseu

un
surical
torat

l'corbellavache
à pattes palmées

Insectes et autres petites bêtes

J'ai découvert des insectes et de petits animaux comme :

Nom : _____

Description (forme, couleurs, taille) :
_____
_____
_____

Est-ce que ça fait peur ?   OUI ☐   NON ☐

Est-ce que c'est gentil ?   OUI ☐   NON ☐

Est-ce que je l'aime bien ?   OUI ☐   NON ☐

Nom : _____

Description (forme, couleurs, taille) :
_____
_____
_____

Est-ce que ça fait peur ?   OUI ☐   NON ☐

Est-ce que c'est gentil ?   OUI ☐   NON ☐

Est-ce que je l'aime bien ?   OUI ☐   NON ☐

Nom : _____

Description (forme, couleurs, taille) :
_____
_____
_____

Est-ce que ça fait peur ?   OUI ☐   NON ☐

Est-ce que c'est gentil ?   OUI ☐   NON ☐

Est-ce que je l'aime bien ?   OUI ☐   NON ☐

Nom : _____

Description (forme, couleurs, taille) :

_____

_____

_____

Est-ce que ça fait peur ?   OUI ☐   NON ☐

Est-ce que c'est gentil ?   OUI ☐   NON ☐

Est-ce que je l'aime bien ?   OUI ☐   NON ☐

Nom : _____

Description (forme, couleurs, taille) :

_____

_____

_____

Est-ce que ça fait peur ?   OUI ☐   NON ☐

Est-ce que c'est gentil ?   OUI ☐   NON ☐

Est-ce que je l'aime bien ?   OUI ☐   NON ☐

Sais-tu que...

Un insecte a toujours 6 pattes

C'est la façon la plus sûre de reconnaître les insectes, car il y a des espèces très différentes. Fourmis, abeilles, papillons, scarabées, moustiques et sauterelles sont des insectes. Mais les araignées (qui ont 8 pattes) et les mille-pattes n'en sont pas.

Les coccinelles sont très utiles

Les pucerons sont de petits insectes qui peuvent causer des ravages dans les jardins et les cultures. Heureusement, les coccinelles sont de grandes mangeuses de pucerons. On s'en sert même pour remplacer les insecticides !

Un vrai « escargros » !

En Afrique, il existe une espèce d'escargot appelée « achatine ». Il mesure environ 8 cm, mais certains spécimens peuvent atteindre 20 cm et peser plus d'un kilo !

Ça fait beaucoup !

Sur terre, plus de 70% des espèces d'animaux sont des insectes.

Mes pages d'activités

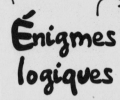

❶ La chasse aux souris!

Si 5 chats sont capables d'attraper 5 souris en 5 minutes, combien de chats faudra-t-il pour attraper 100 souris en 100 minutes?

Énigmes logiques

❷ Quel âge?

Si on additionne l'âge d'une mère et de sa fille, elles ont au total 54 ans.

Sachant que la mère a 38 ans de plus que sa fille, quel âge a la mère et quel âge a la fille?

Sudokus

Dans chaque case vide, tu dois écrire un chiffre de 1 à 9. Mais attention, on ne doit jamais le répéter, ni dans la même rangée, ni dans la même colonne, ni dans la même région délimitée par les traits en gras.

Sudoku 1

4	6		7	8	5	3	2	
	1	3			9			8
	8	7	2	3			9	6
3	4	2		7		6	1	
			6					5
	6		1		3		7	
9	7		3		6		4	2
			9	1	7			
1		5		2	4	9		7

Sudoku 2

			7	6	9	2		
	3	1				7	9	
		8				5	4	6
		7		2	1	8	3	
3	4	8	5	7			2	9
1	9	2			8	6	5	
	1	3	6	8	2			
	5	4		9		3		
7			3		5	9		1

Les différences

À première vue, on dirait deux dessins identiques d'Edgar, mais si tu observes bien, tu trouveras 10 différences dans le dessin de droite. Encercle-les.

Les solutions des jeux se trouvent à la page 64.

Trouve le mot

Replace les lettres dans le bon ordre pour former le mot qui se rapporte à l'indice indiqué.

Indice : Insectes

ECLOCECNIL : _____

QUIMEUSTO : _____

HOMCUE : _____

LBEALIE : _____

MOFRUI : _____

NPILOLPA : _____

Indice : Capitales

Écris à côté de chaque ville le pays dont elle est la capitale.

Pays :

ATWAOT : _____ / _____

USMOCO : _____ / _____

OXEMIC : _____ / _____

HETSANE : _____ / _____

SDRONEL : _____ / _____

OOTYK : _____ / _____

Indice : Sports

ATNOIATN : _____

RUSECO : _____

YHKOEC : _____

SNITEN : _____

OELV : _____

LOFTALOB : _____

Indice : Plats typiques

Écris à côté de chacun des plats le pays ou la province dont il provient. Aide-toi des drapeaux pour les deviner.

Pays ou province :

GSEHTAPIT : _____ / _____

MERBRAHGU : _____ / _____

ELAPLA : _____ / _____

TRELETAC : _____ / _____

USCOCUSO : _____ / _____

RIETOTUER : _____ / _____

Les solutions des jeux se trouvent à la page 64.

Le labyrinthe

Edgar s'est perdu dans une grande pyramide d'Égypte. Peux-tu l'aider à en sortir? Comme les couloirs sont très étroits et à sens unique, tu dois partir de la porte d'entrée, aller le chercher au centre et ressortir par la sortie. Attention aux pièges : une momie, une salle de tortures, un serpent venimeux, un vautour, de grosses araignées et même une bombe t'attendent !

Sers-toi d'un crayon effaçable pour pouvoir recommencer si tu te trompes de chemin.

entrée ▶

sortie ▶

Charade

- Mon premier est une boisson,
- mon deuxième est une boisson,
- mon troisième est une boisson,
- **mon tout est une boisson.**

Devinette

Sachant que
- Un fait un solo
- Deux fait un duo
- Trois fait un trio

Combien font 4 et 5 ?

Mots croisés

	1	2	3	4	5	6	7	8	9	10	11	12
1												
2												
3												
4												
5												
6												
7												
8												
9												
10												
11												
12												

Horizontalement

1. Un des océans de notre planète.
2. Sert de liaison entre deux mots («toi __ moi»).
3. Oiseau noir et blanc qui a la réputation d'être un voleur. / Les activités de vacances, c'est très _____ !
5. Monnaie européenne.
6. Partie colorée de l'œil. / Pour dire bonjour, tu fais un _____ de la main.
7. On le prend trois fois par jour.
8. Gros mammifère carnivore à fourrure qui est aussi un jouet en peluche. / Bain chaud à remous.
9. Il y avait des animaux dans l'Arche de _____. / Il est propulsé par une locomotive.
10. La peinture et la musique sont des _____.
11. Avec elle, on peut faire apparaître et disparaître des lapins.
12. Il en faut pour diriger un cheval. / On monte dedans, puis il se met à tourner...

Verticalement

1. Autre nom de la citrouille.
2. _____ et moi. / Deuxième note de la gamme. / Un arbre.
3. Il y en a une quand la Lune passe devant le Soleil. / Il contient 365 jours.
4. Elle lui appartient. / Le nombre d'années écoulées depuis la naissance.
5. Formation de gouttelettes d'eau dans le ciel qui ressemble à du coton. / Petit animal que les chats aiment chasser.
6. Parler à toi, c'est « _____ parler ».
7. Reptile qui ressemble à un gros lézard et qui porte parfois une crête dorsale.
8. Abréviation de «Saint».
9. Une des quatre saisons.
10. Il a _____ ses lacets. / Il y en a beaucoup sur la plage.
11. Sert de liaison entre deux mots («toi __ moi») / π.
12. Autre nom de la note de musique do. / Il crache de la lave. / On en a parfois besoin pour jouer.

Les solutions des jeux se trouvent à la page 64.

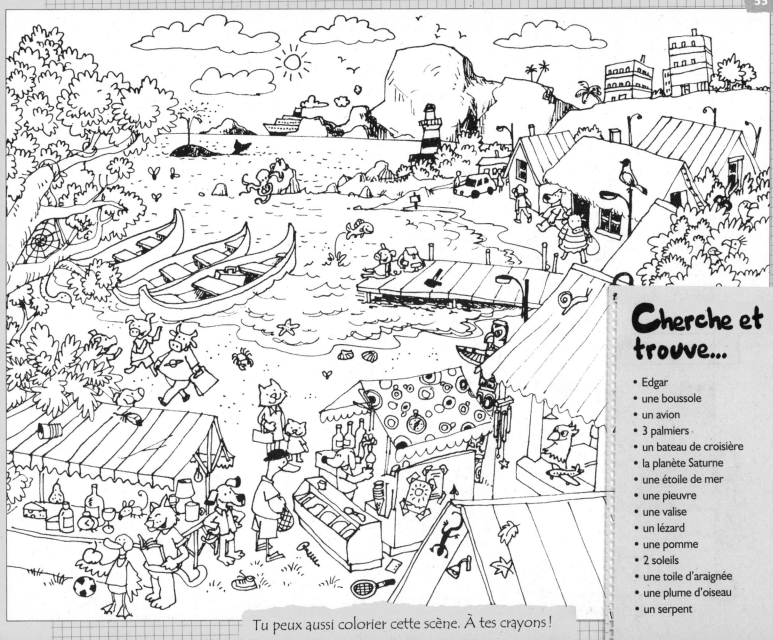

Cherche et trouve...

- Edgar
- une boussole
- un avion
- 3 palmiers
- un bateau de croisière
- la planète Saturne
- une étoile de mer
- une pieuvre
- une valise
- un lézard
- une pomme
- 2 soleils
- une toile d'araignée
- une plume d'oiseau
- un serpent

Tu peux aussi colorier cette scène. À tes crayons !

Devine le mot

Pour trouver les mots, dis à voix haute ce que représente chacun des dessins qui le composent...

1 [arc] en [ciel]

2 [cerf] [volant]

3 [pas] [rat] [pluie]

4 [lit] [corne]

5 [chat] t' [eau]

Devinettes

Retourne ton journal pour lire les réponses.

1. Qu'est-ce qu'on met sur la table, que l'on coupe et qui ne se mange pas ?

Un jeu de cartes.

2. Quel est le coquillage le plus léger ?

La palourde.

3. Quel est le légume le plus lourd ?

Le pois.

4. Quel est le fruit le plus ponctuel ?

La datte.

5. Je me vide en me remplissant. Qui suis-je ?

Un sablier.

6. J'ai un chapeau mais pas de visage, un pied mais pas de chaussure. Qui suis-je ?

Un champignon

7. Qu'est-ce qu'un porte-plume sur un portefeuille ?

Un oiseau sur une branche. L'oiseau porte les plumes et la branche porte les feuilles.

8. Quelle est la plante sur laquelle on peut marcher sans l'écraser ?

La plante des pieds.

9. Quelle était la plus grande île du monde avant la découverte de l'Australie ?

C'était déjà l'Australie, mais on ne l'avait pas encore découverte !

10. Je contiens du sucre, mais je ne suis pas sucré. Qui suis-je ?

Un sucrier.

11. Il n'y en a qu'un seul dans une minute, et il y en a deux dans une heure, mais aucun dans un jour : qu'est-ce ?

La lettre e.

12. Quand je suis frais, je suis chaud. Qui suis-je ?

Du pain.

13. Que se passe-t-il si tu lances un caillou blanc dans la mer Noire ?

Il coule !

13. Je suis au milieu de Paris. Qui suis-je ?

La lettre r.

Ni OUI ni NON

Voici un jeu très amusant qui peut se jouer à deux, mais qui est encore plus drôle à plusieurs. S'il y a plus de deux joueurs, il faut d'abord déterminer un ordre de jeu. Le premier joueur commence alors à poser des questions (n'importe lesquelles) à la personne voisine. Celle-ci ne doit jamais répondre par un «oui» ou par un «non». Au début du jeu, chacun a 5 points et chaque fois que quelqu'un répond par «oui» ou par «non», un point lui est retiré; c'est alors au tour du suivant. Dès qu'un joueur arrive à zéro point, il est éliminé, et ainsi de suite jusqu'au dernier.

Histoire en éventail...

¡ə̣tə̣t iu ənənb sues ...

« Le gros requin s'approche du bateau et plonge il y a des tas de papiers partout alors que le soleil se couchait, je prends mon vélo et pars puis soudain la sorcière prit son balai et jeta un sort le vent se lève et la pluie s'est mise à tomber les pirates s'approchèrent alors du bateau et la fusée atteigna presque la planète Mars tout à coup le gros dinosaure fonça sur nous et nous étions un petit lac au mileu des montagnes où il y avait plein de nénuphars. »

Voilà une façon rigolote d'inventer des histoires drôles qui n'ont ni queue ni tête. Dans le haut d'une feuille blanche, écris la première phrase d'une histoire imaginaire. Plie la feuille vers l'arrière pour cacher la phrase et demande à quelqu'un d'autre d'écrire une autre phrase dans le haut de la feuille ainsi pliée. La personne plie la feuille à son tour pour cacher la nouvelle phrase et te demande, à toi ou une troisième personne, d'écrire une autre phrase dans le haut de la feuille, et ainsi de suite jusqu'à ce qu'il n'y ait plus de place. À la fin du jeu, déplie la feuille et lis l'histoire sans queue ni tête que vous avez inventée.

Le jeu des deux mots

Pour ce jeu, il faut être au moins deux. La première personne dit un mot (n'importe lequel), et la seconde personne doit répondre immédiatement, par un seul mot, ce qui lui passe par la tête en entendant ce mot. Par exemple, si je dis «vacances», que réponds-tu?

On change l'ordre des joueurs après une douzaine de mots. Les résultats peuvent être étonnants.

Le jeu des animaux

Pense à un animal et demande à tes compagnons de voyage de te poser à tour de rôle une question pour essayer de deviner de quel animal il s'agit. Ils ne peuvent te poser qu'une seule question à la fois. Celui qui devine le nom de l'animal devient le prochain joueur à penser à un animal.

Exemples de questions :

1. Est-ce qu'il vit sur la terre, dans l'eau ou dans l'air?
2. De quelle couleur est-il?
3. Combien de pattes a-t-il?
4. Qu'est-ce qu'il mange?
5. De quel pays est-il originaire?
6. Est-ce un animal à poils ou à plumes?

Edgar

Isa

Vladimir

Qui dort où ?

Lors de leurs vacances, Edgar et ses deux amis, Isa et Vladimir, ont dormi dans trois endroits séparés qui avaient chacun une porte de couleur différente : un hôtel au bord de la mer, un chalet à la montagne et une cabine de bateau. Les couleurs des portes étaient : rouge, bleu et jaune.

1. Lors d'une escale, la personne qui dormait dans le bateau ouvre la porte jaune de sa cabine pour aller se promener sur une île.
2. Là-bas, cette personne sonne à la porte bleue d'Isa.
3. Pendant ce temps, quelque part à la montagne, Edgar admire les skieurs depuis le balcon de son chalet.

Détermine qui a dormi à quel endroit et quelle était la couleur de sa porte. Trace des lignes pour relier les éléments.

EDGAR

 hôtel

ISA

 chalet

VLADIMIR

 bateau

Les solutions des jeux se trouvent à la page 64.

Le crayon magique

Prends un crayon dans une de tes mains et dis à tes amis que tu es capable de le faire tenir en suspension.

Ensuite, attrape ton poignet de l'autre main et, avec ton index, tiens le crayon au centre de ta main, sans que les autres puissent voir.

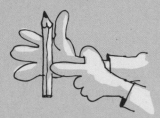

Fais semblant de te concentrer beaucoup pendant que tu prononces la formule magique Abracadabri- abracadabrin- crayon tiens-tout-seul-dans-ma-main.

Puis ouvre grand les doigts : le crayon est en suspension!

Le coin-coin

Matériel
- Feuille de papier blanche, format carré
- Crayons ou feutres de couleur
- Tes doigts !

Fabrication

a. Prends une feuille carrée et plie les quatre coins vers l'intérieur (1) pour former 4 triangles égaux (2). Retourne la feuille de l'autre côté et fais la même chose (3), plie encore une fois les quatre coins vers l'intérieur en quatre triangles égaux (4). Ensuite, plie la feuille en deux vers l'intérieur (5). Glisse tes pouces et tes index sous chaque carré (6) et ramène les pointes vers l'intérieur (7).

b. Sur chaque pointe, dessine un cercle de couleur différente (8). Ouvre le coin-coin et, sur chaque triangle intérieur (il y en a 8 au total), écris un chiffre de 1 à 8. Puis, ouvre encore une fois les pointes et, sur chaque triangle, écris une phrase gentille, en alternance avec une phrase moins gentille. Comme par exemple : « Tu es beau (belle), Tu sens des pieds, Tu es gentil(gentille), etc. ». Finalement, replace les pointes, glisse à nouveau tes pouces et tes index sous chaque carré et ramène les pointes vers l'intérieur. Le jeu est prêt!

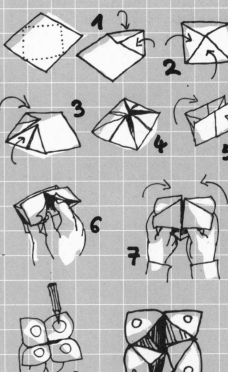

Jeu

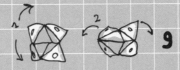

Demande à quelqu'un de choisir une couleur. Épelle la couleur en ouvrant et refermant le coin-coin entre chaque lettre (9). Quand tu arrives à la dernière lettre, laisse-le ouvert pour afficher les chiffres et demande au joueur de choisir un chiffre. Compte chaque chiffre en ouvrant et refermant le coin-coin jusqu'à ce que tu arrives au chiffre choisi et demande au joueur de choisir un autre chiffre. Ouvre le coin-coin et lis la phrase cachée sous le chiffre choisi.

Mes souvenirs marquants

Les meilleurs moments

Quels sont les beaux moments passés que tu aimerais raconter lors de ton retour ? À tes camarades ? À ta famille ? À ton enseignant ou enseignante ?

Note ci-dessous les 6 meilleurs moments de tes vacances, en les classant par ordre de préférence (le numéro 1 étant ton préféré).

1

2

3

4

5

6

Mes plus grosses bêtises

Si, si ! Tu en as fait, c'est sûr ! Note-les ci-dessous.

_____
_____
_____
_____
_____
_____
_____
_____
_____

Les pires moments

Ça peut arriver, même en vacances !

De la pluie pendant cinq jours en camping, un hôtel pas confortable, une grippe, une panne de voiture...

Le pire est le numéro 1.

Mes nouveaux amis

Si tu t'es fait de nouveaux amis pendant tes vacances, écris leurs noms et adresses sur cette page. Et sur la page de droite, ils pourront t'écrire ou te dessiner quelque chose...

Nom : _____

Adresse : _____

_____

Téléphone : _____

Courriel : _____

Nom : _____

Adresse : _____

_____

Téléphone : _____

Courriel : _____

Nom : _____

Adresse : _____

_____

Téléphone : _____

Courriel : _____

Nom : _____

Adresse : _____

_____

Téléphone : _____

Courriel : _____

Solutions des jeux

Sudokus (page 50)

Sudoku 1

4	6	9	7	8	5	3	2	1
2	1	3	4	6	9	7	5	8
5	8	7	2	3	1	4	9	6
3	4	2	5	7	8	6	1	9
7	9	1	6	4	2	8	3	5
8	5	6	1	9	3	2	7	4
9	7	8	3	5	6	1	4	2
6	3	4	9	1	7	5	8	3
1	3	5	8	2	4	9	6	7

Sudoku 2

4	8	5	7	6	9	2	1	3
6	3	1	2	5	4	7	9	8
2	9	7	1	8	3	5	6	4
5	6	7	9	2	1	8	3	4
8	1	4	3	7	5	6	2	9
3	2	9	4	1	6	5	8	7
1	9	2	4	3	8	6	5	7
7	5	6	8	9	2	1	4	3
9	4	3	5	2	7	9	8	1

Mots croisés (page 54)

	1	2	3	4	5	6	7	8	9	10	11	12
1	A	T	L	A	N	T	I	Q	U	E		U
2	O		U						G		E	T
3	P	I	E		A	M	U	S	A	N	T	
4	O		C	G	A		O					V
5	T	L	E		N		E	U	R	O		V
6	I	R	I	S		G	E	S	T	E		C
7	R	E	P	A	S							L
8	O	S		O	U	R	S		S	P	A	
9	N	O	E		U		T	R	A	I	N	
10		R		A	R	T	S			B		
11	M	A	G	I	E					L	D	
12	R	E	N	E	S		M	A	N	E	G	E

Charade (page 53)

Café au lait (café – eau – lait)

Devinette (page 53)

4 et 5 font... 9 !

Énigmes logiques (page 50)

La chasse aux souris !
5 chats suffisent.
Comme cinq chats sont capables d'attraper cinq souris en cinq minutes. Si la chasse continue cinq minutes de plus, cinq souris supplémentaires seront attrapées. Donc les mêmes chats sont capables d'attraper 10 souris en 10 minutes ; 20 souris en 20 minutes; 30 souris en 30 minutes; et si les chats continuent de chasser, ils se rendront jusqu'à 100.

Quel âge ?
La fille a 8 ans et la mère a 46 ans.

Labyrinthe (page 53)

Qui dort où ? (page 58)

Edgar dort dans un chalet dont la porte est rouge.
Isa est dans un hôtel sur le bord de la mer et sa porte est bleue.
Quant à Vladimir, il dort dans une cabine de bateau dont la porte est jaune.

Les différences (page 51)

Devine le mot (page 56)

1-Arc-en-ciel (arc – en – ciel)
2-Cerf-volant (cerf – volant)
3-Parapluie (pas – rat – pluie)
4-Licorne (lit – corne)
5-Château (chat – t' – eau)

Cherche et trouve (page 55)

Trouve le mot (page 52)

Indice : Insectes
ECLOCECNIL : COCCINELLE
QUIMEUSTO : MOUSTIQUE
HOMCUE : MOUCHE
LBEALIE : ABEILLE
MOFRUI : FOURMI
NPILOLPA : PAPILLON

Indice : Sports
ATNOIATN : NATATION
RUSECO : COURSE
YHKOEC : HOCKEY
SNITEN : TENNIS
OELV : VÉLO
LOFTALOB : FOOTBALL

Indice : Capitales
ATWAOT : OTTAWA / capitale du Canada
USMOCO : MOSCOU / capitale de la Russie
OXEMIC : MEXICO / capitale du Mexique
HETSANE : ATHÈNES / capitale de la Grèce
SDRONEL : LONDRES / capitale du Royaume-Uni
OOTYK : TOKYO / capitale du Japon

Indice : Plats typiques
GSEHTAPIT : SPAGHETTI / Italie
MERBRAHGU : HAMBURGER / États-Unis
ELAPLA : PAELLA / Espagne
TRELETAC : RACLETTE / Suisse
USCOCUSO : COUSCOUS / Maroc
RIETOTUER : TOURTIÈRE / Québec

Auteurs
Pascal Biet, Natalie Richard
Mise en page et illustrations
Pascal Biet

Direction éditoriale
Olivier Gougeon

Correction
Pierre Daveluy

Montage de la page couverture
Marie-France Denis

Merci à Chantal Bourgeois de l'École Buissonnière et les élèves de troisième année pour leur contribution, spécialement Henri-Paul, Charlie, Audrey, Charles et Fannie. Merci à Dahlia ♥ pour tes belles idées et toute l'inspiration que tu m'apportes.

Natalie Richard

Merci à Marc Berger et Julie Brodeur, qui ont contribué à la conception et à la réalisation des premiers titres de cette collection.

Catalogage avant publication de Bibliothèque et Archives nationales du Québec et Bibliothèque et Archives Canada

Richard, Natalie

Journal de mes vacances
3e éd.
(Journal de voyage Ulysse)
Pour enfants.
ISBN 978-2-89464-943-5
1. Voyages - Guides - Ouvrages pour la jeunesse. 2. Jeux pour voyageurs - Ouvrages pour la jeunesse. 3. Livres en blanc - Ouvrages pour la jeunesse. I. Biet, Pascal. II. Titre. III. Collection: Journal de voyage Ulysse.
G153.4.J68 2010   j910.2'02   C2009-942417-7

Guides de voyage Ulysse est membre de l'Association nationale des éditeurs de livres.

Loi n° 49-956 du 16 juillet 1949 sur les publications destinées à la jeunesse.

Toute photocopie, même partielle, ainsi que toute reproduction, par quelque procédé que ce soit, sont formellement interdites sous peine de poursuite judiciaire.

© Guides de voyage Ulysse
Tous droits réservés
Bibliothèque et Archives nationales du Québec
Dépôt légal – Deuxième trimestre 2010
ISBN 978-2-89464-943-5 (version imprimée)
ISBN 978-2-89665-285-3 (version numérique)
Imprimé au Canada

Ce livre a été imprimé sur du papier 100% postconsommation traité sans chlore, accrédité Éco-Logo et fait à partir de biogaz.

Réponses aux questions d'Edgar :

Question de la page 13 : C'est à cause du phénomène de l'attraction terrestre, qui nous retient au sol, ainsi que tout ce qui nous entoure. La gravité est responsable de plusieurs manifestations naturelles comme, entre autres, les marées et l'orbite des planètes autour du Soleil.

Question de la page 14 : Le plus gros mammifère marin est la baleine bleue, qui peut atteindre 30 m de long, et le plus gros mammifère terrestre est l'éléphant d'Afrique, qui atteint 4 m de haut et pèse plus de 7 tonnes. Le plus petit mammifère terrestre est la musaraigne étrusque, qui mesure 6 cm et dont le poids varie entre 1,8 g et 2 g.

Question de la page 17 : L'agglomération de Tokyo, au Japon, est la plus peuplée du monde. Elle compte plus de 33 millions d'habitants, autant que le Canada tout entier !

Question de la page 18 : Le palmier-dattier donne des dattes ; et le cocotier, des noix de coco.

Question de la page 21 : Les millipèdes ont 4 pattes par segment ; alors, pour calculer le nombre de pattes, il faut connaître le nombre de segments : ils en ont un maximum de 50, pour un maximum de 200 pattes.

Question de la page 22 : La plus grosse planète du système solaire est Jupiter. C'est une planète gazeuse géante dont le diamètre atteint 143 000 km, soit 11 fois celui de la Terre ! Elle est caractérisée par une grande tache rouge sur sa surface.

Question de la page 25 : On trouve des stalactites dans les grottes. Elles ressemblent à de gros pics de roche pointant vers le bas. Elles se forment par un très lent écoulement d'eau chargée de calcaire, qui se dépose peu à peu. En tombant, le calcaire contenu dans les gouttes se dépose aussi au sol pour former des stalagmites qui, elles, pointent vers le haut.

Question de la page 26 : Les chauves-souris dorment le jour, suspendues par les pattes et la tête en bas. En général, elles dorment pendant 20 heures !

Question de la page 30 : Un acériculteur fabrique du sirop d'érable.